CANCER ASSESSMENT CLINIC
CLINIQUE L'ÉVALUATION DU CANCER

L'OPÉRATION
DU CANCER
DE LA PROSTATE

EXPLIQUEZ-MOI, DOCTEUR...
sous la direction du docteur Marc Maidenberg

L'OPÉRATION DU CANCER DE LA PROSTATE

Docteur Christian Barré

III MASSON

Les dessins sont réalisés par Guillaume Blanchet

Les ouvrages de cette collection ont pour but de répondre à votre besoin d'information. Ils ne se substituent pas à un avis médical.

© Masson, 2002
ISBN : 2-294-00928-2

Au lecteur

Au cours de sa longue pratique, chaque médecin, chaque chirurgien a expérimenté sa propre façon de « faire passer le message » : rien ne remplace ce précieux savoir-faire.

Vous exposer les raisons et les différentes étapes d'une intervention et les résultats qui seront obtenus, envisager les possibles complications… en un mot, répondre à votre légitime besoin d'information, tous les médecins savent combien cela est délicat.

Parce que, entre le moment où vous avez quitté votre chirurgien et celui où vous rentrez chez vous, bien des questions que vous auriez aimé poser vous reviennent en mémoire.

Parce que l'idée de l'opération vous inquiète, parce qu'expliquer est un art difficile, pour toutes ces raisons et quelques autres encore, cette collection existe.

Le principe en est simple : pour chaque intervention, un livre décrit ce que vous vivrez, avant, pendant et après l'opération.

Pour chaque livre, plusieurs spécialistes d'une même discipline ont confronté leur pratique. Le recueil attentif des critiques de confrères généralistes, interlocuteurs privilégiés, les conseils des infirmières et de nos secrétaires, bien souvent vos premières confidentes, et les commentaires avisés de nombreux patients, tels ont été nos guides dans la réalisation de cette collection.

Docteur Marc Maidenberg
Directeur de la collection

Préface

Le devoir d'information, récemment réglementé, est un élément fondamental du dialogue entre le médecin et le patient qui le consulte. Cet échange est évidemment indispensable lorsque des traitements chirurgicaux (très efficaces, mais accompagnés obligatoirement d'effets secondaires) sont proposés. Cet échange sera d'autant plus fructueux si le patient a une bonne compréhension du traitement proposé grâce à une information précise, claire et humaine : c'est ce qu'a réussi Christian Barré, urologue très expérimenté. Son ouvrage répond pleinement à cet objectif pour un cancer, celui de la prostate, de plus en plus souvent diagnostiqué précocement et pour lequel la chirurgie permet d'obtenir la guérison.

Ce livre, très clair, explique parfaitement ce qui se passe avant, pendant et après l'opération d'ablation de la prostate (prostatectomie) qu'elle se fasse par une incision abdominale (technique de référence) ou par voie cœlioscopique (technique plus récente sous contrôle vidéo-endoscopique). Toutes les questions que vous vous posez naturellement sont abordées ici de façon très pratique y compris celles ayant trait à la reprise de votre activité. La lecture de cet ouvrage et la nécessaire discussion avec le chirurgien doivent permettre de choisir en toute connaissance le traitement le mieux adapté pour guérir le cancer de la prostate et recouvrer une vie active et sereine.

Professeur François Richard
Chef de service d'urologie
CHU Pitié Salpétrière, Paris

Table des matières

Quelques mots d'introduction

Le **cancer** de prostate est le cancer le plus fréquent chez l'homme après 50 ans. Il évolue lentement et silencieusement et ne devient vraiment agressif qu'après une dizaine d'années d'évolution.

L'âge au moment du diagnostic a donc une importance déterminante, puisqu'il faut, pour chaque cas, se projeter plus d'une décennie plus tard et évaluer ce que sera alors l'état général.

On peut ainsi définir deux populations.

▍ **L'homme âgé (75 ans et plus)** : un cancer débutant à cet âge n'aura pratiquement aucun effet sur la durée de vie. La maladie n'a pas de réel critère de gravité. Le traitement chirurgical n'a pas d'indication à cet âge.

▍ **L'homme jeune (50 ans à 70-75 ans)** : la maladie représente ici une réelle menace pour l'avenir et le but du traitement est donc d'obtenir une guérison totale.

Cet ouvrage est destiné spécifiquement aux hommes de cette tranche d'âge.

L'opération chirurgicale représente actuellement le traitement de référence qui donne les meilleurs résultats à très long terme.

L'intervention est devenue, grâce aux progrès techniques de ces dernières années, simple, très sûre, efficace, avec un risque minimal de séquelles.

L'objectif de ce livre est de vous apporter tous les renseignements nécessaires à sa bonne compréhension.

En effet, l'expérience montre au quotidien que le défaut d'information est source d'interrogation et d'inquiétude, alors que l'explication précise et sans détour apaise beaucoup l'angoisse.

▌**Participer avec votre chirurgien à la décision opératoire.**
▌**Tout connaître de l'intervention.**
▌**Savoir évaluer le délai de votre récupération...**
▌**C'est déjà parcourir une grande partie du chemin qui conduira à votre guérison.**

Comment peut-on détecter un cancer de la prostate ?

Le cancer de prostate est une maladie qui évolue pendant des années sans donner le moindre signe d'alerte.

Les symptômes n'apparaissent que tardivement lorsque la maladie est déjà très avancée. Aussi, pour être en mesure de faire un diagnostic précoce, il faut dépister cette maladie. Plusieurs moyens sont à la disposition du médecin.

L'examen de la prostate par le toucher rectal

La prostate, nous le verrons dans le chapitre anatomie, est une glande située immédiatement en avant du rectum, il est donc possible de la palper en réalisant un toucher rectal. Cet examen est un peu désagréable mais indolore. L'urologue va pouvoir recueillir des renseignements qui orienteront le diagnostic : consistance de la glande, souplesse, volume, **induration**, etc.

Un cancer débutant peut se présenter sous des aspects très divers. Il peut s'agir :

▋ d'un **nodule**, de volume variable, déformant le contour de la prostate ;

▋ d'une zone ayant une consistance plus ferme que la normale ;

▋ d'une glande strictement normale.

Induration : Perte de souplesse d'un organe constatée lors de sa palpation. Il devient plus ou moins dur.

Nodule : Modification très limitée de la consistance d'un organe, constatée au cours d'un examen. Il s'agit souvent d'une petite bosse plus ou moins dure.

Quels que soient les renseignements fournis par le toucher rectal, il faut compléter ces informations par un dosage du PSA.

Le dosage du PSA

Le PSA (antigène spécifique de la prostate) est une protéine sécrétée par la prostate. Son dosage est réalisé par un prélèvement sanguin. Sa quantité dans le sang s'élève en fonction de l'âge et dans certaines maladies prostatiques :

Adénome : Tumeur bénigne.

▌ l'**adénome**,

▌ le cancer,

Prostatite aiguë : Infection aiguë de la prostate.

▌ la **prostatite aiguë**.

Ainsi un dosage supérieur à la normale ne veut pas dire nécessairement qu'il existe un cancer, mais doit le faire suspecter.

Le médecin interprétera toujours ce chiffre en fonction de votre âge et des constatations du toucher rectal. Pour préciser le diagnostic, il décidera de réaliser des prélèvements de la prostate, c'est ce qu'on appelle les **biopsies prostatiques**.

Les biopsies prostatiques sous contrôle échographique

Échographie : Technique utilisant l'émission d'ultrasons pour obtenir les images de l'organe examiné : la « sonde » échographique émet les ultrasons ; l'image obtenue s'affiche sur un écran.

Cet examen est réalisé dans la grande majorité des cas sous anesthésie locale. Une **sonde échographique**, munie d'un guide, est introduite par le rectum.

L'examen commence par l'étude de la prostate, puis une aiguille est introduite dans le guide et des prélèvements sont réalisés à travers la paroi rectale.

Un appareil automatisé permet de faire la ponction en une fraction de seconde.

En général, six à neuf prélèvements sont faits sur les différentes parties de la prostate, parfois plus si la glande est plus volumineuse.

Ils seront ensuite étudiés au microscope. Cette analyse confirmera ou non le diagnostic de cancer.

QUE FAUT-IL FAIRE EN CAS DE BIOPSIES NÉGATIVES ?

Cette situation est relativement fréquente. Votre urologue peut vous proposer de refaire des prélèvements, si le doute diagnostique le justifie. En effet, un cancer de très petit volume peut tout à fait ne pas avoir été concerné par une première série de biopsies.

Pourquoi faut-il être traité ?

Cette question peut paraître surprenante car, pour beaucoup de personnes, la découverte d'un cancer justifie *a priori* un traitement ! En fait, ce chapitre est plus particulièrement destiné à ceux qui s'interrogent sur le bien-fondé d'un traitement qui n'est pas anodin alors qu'ils n'ont aucun symptôme de la maladie, que leur santé est excellente et qu'enfin ce cancer est connu pour se développer très lentement.

Précisons donc ce qu'est l'évolution naturelle d'un cancer prostatique non traité et surtout les conclusions qu'il faut en tirer.

L'évolution naturelle du cancer de prostate

Pour comprendre aisément ce chapitre, reportez-vous à la figure 1. On peut distinguer quatre étapes de l'évolution du cancer :

▌1. Pendant plusieurs années, le cancer reste à une phase débutante. **Il est bien sûr curable, mais sa détection n'est pas possible** car son volume est beaucoup trop faible. Il ne modifie pas encore la prostate à l'examen, ni le dosage du PSA, et bien entendu, il n'entraîne aucun symptôme.

▌2. Plusieurs années plus tard, **il devient alors détectable**. La prostate peut paraître modifiée au cours d'un examen et le PSA s'élève. Mais **il n'entraîne toujours pas de symptôme**. Cette

Curable : Se dit d'une maladie dont la guérison définitive peut être obtenue.

6

phase dure quelques années. Diagnostiqué à ce stade, **il est curable.**

▌ 3. Au cours de l'étape suivante, le cancer a beaucoup augmenté de volume, **le diagnostic est facilement établi** devant la modification de la prostate à l'examen ou une élévation importante du PSA. À ce stade, **il n'entraîne toujours aucun symptôme, mais, par contre, il n'est plus curable.**

▌ 4. Enfin, l'étape où **le cancer entraîne des symptômes** qui conduisent à consulter, la maladie est ici trop évoluée et *a fortiori* **elle n'est plus curable.** Ce stade est heureusement devenu exceptionnel.

Figure 1. **Évolution du cancer prostatique.**

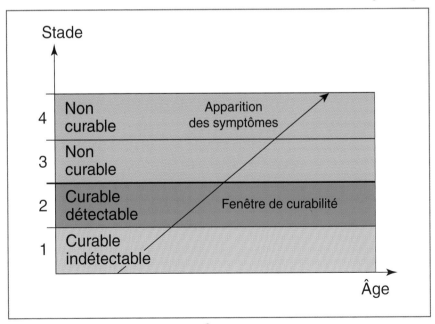

À RETENIR

● **L'absence de symptôme ne préjuge pas de la gravité de la maladie.**

● **La phase dite de curabilité est longue.** Contrairement à d'autres maladies où le diagnostic doit être fait rapidement pour guérir (quelques semaines ou quelques mois), ici ce délai est particulièrement long, ce qui laisse donc fort heureusement toutes les chances d'être diagnostiqué à temps.

● **Il n'y a pas, hormis à un stade très tardif, de signes spécifiques du cancer de la prostate, d'où la recommandation actuelle d'une surveillance annuelle par le toucher rectal et le PSA chez tous les hommes à partir de 50 ans.**

Les circonstances habituelles du diagnostic

Voici les situations les plus classiques de diagnostic réalisé au cours de la phase de curabilité :

▌ la plus fréquente est la découverte fortuite :
– d'une élévation du taux de PSA lors d'un bilan sanguin ;
– ou d'une anomalie de la prostate constatée lors d'un examen par le médecin traitant ;

▌ parfois, le diagnostic est réalisé chez un homme consultant pour des symptômes urinaires dus à un **adénome** prostatique : envies fréquentes d'uriner, **impériosités**, ou diminution progressive de la force du jet depuis quelques années. C'est au cours du bilan de cette maladie tout à fait bénigne que l'on va découvrir de manière fortuite (de la même façon que précédemment) un petit cancer prostatique associé.

Impériosités : Besoins pressants d'uriner.

Dans ce cas, bien entendu, les symptômes ne sont pas dus au cancer, mais le traitement sera aussi celui du cancer et non plus seulement celui de l'adénome;

▌enfin, le diagnostic peut être fait après une opération pour un adénome. C'est l'analyse des fragments prostatiques retirés lors de cette intervention qui fait découvrir un petit cancer alors que rien ne permettait de le supposer avant.

▌**Quelles que soient les circonstances du diagnostic, un bilan est nécessaire pour déterminer quel est le stade actuel du cancer.**

Notes personnelles

Le stade du cancer
et
la décision d'opérer

Le stade du cancer

Avant de pouvoir proposer un traitement, il faut d'abord connaître avec le plus de précision possible le stade d'évolution de la maladie, en réalisant ce que l'on appelle le bilan d'extension, car pour chaque stade il existe un traitement spécifique.

Votre urologue vous reverra donc en consultation pour faire le point. Il analysera tous les paramètres susceptibles de déterminer le stade de la maladie :

▌ **La consistance de la prostate au toucher rectal :** la glande conserve-t-elle toute sa souplesse ou présente-t-elle une zone dure plus ou moins étendue témoignant d'un degré d'évolution locale?

▌ **L'élévation du taux de PSA :** plus il est élevé et plus on peut penser que le volume de la tumeur est important.

▌ **Le nombre de biopsies positives :** en général six prélèvements minimum sont réalisés au niveau des différentes parties de la prostate. Le pourcentage de ces prélèvements atteints par le cancer est un indicateur supplémentaire du **pronostic** : plus il y a de biopsies positives, plus le volume tumoral est important.

Pronostic : Ensemble de paramètres permettant de préciser quelle sera l'évolution d'une maladie.

▌ **L'agressivité du cancer :** l'analyse microscopique des prélèvements biopsiques permet non seulement de faire le diagnostic de cancer, mais aussi de préciser l'importance de son agressivité. On établit ainsi un **score** (que l'on appelle le **score de Gleason**) coté de 2 à 10 en fonction de l'agressivité.

▌ **Le scanner pelvien :** il donne des renseignements sur le volume de la prostate et des **ganglions** susceptibles d'être atteints par la maladie. Son intérêt est assez limité car il manque de précision, et, pour cette raison, il est moins demandé.

▌ **L'IRM :** cet examen ressemble au scanner, il peut être réalisé par une sonde endo-rectale et permet d'évaluer l'étendue du cancer au sein de la prostate et les possibles extensions au-delà.

▌ **La scintigraphie osseuse :** cet examen a pour but de vérifier l'absence d'extension générale de la maladie. En effet, lorsque le cancer se propage hors de la prostate, il se situe préférentiellement au niveau des os. En pratique, lorsque le PSA est inférieur à 10 ng/ml, il est tout à fait possible de ne pas réaliser de scintigraphie osseuse car le risque d'extension est infime.

Au terme de ce bilan, il y aura donc une très forte probabilité pour considérer ce cancer comme localisé, c'est-à-dire sans extension au-delà de la prostate. Les chances de guérison seront alors maximum. Le moment est maintenant venu de déterminer le traitement.

La décision d'opérer

Il y a deux façons de traiter un cancer de prostate localisé :

▌ **l'intervention chirurgicale :** elle retire le cancer en enlevant toute la prostate ;

Score de Gleason : Étude microscopique des cellules cancéreuses permettant de préciser l'agressivité du cancer. Ce score varie de 2 à 10 : 2 correspondant à une tumeur faiblement agressive, 10 à une agressivité élevée.

Scanner : Examen permettant d'avoir des images précises des différentes parties du corps en utilisant les rayons X.

Ganglion : Organe de grosseur très variable (de quelques millimètres à plusieurs centimètres) où les cellules cancéreuses vont se développer avant de se propager dans le reste de l'organisme.

IRM (Imagerie par Résonance Magnétique) : Examen permettant d'avoir des images précises de plusieurs régions du corps, en utilisant les ondes magnétiques. Pour l'étude de la prostate, on peut utiliser une sonde qui est introduite dans le rectum.

Scintigraphie osseuse : Examen permettant de montrer des images du squelette osseux. Cette technique utilise des produits faiblement radioactifs qui, une fois injectés, se fixent sur les os.

Radiothérapie :
Traitement du cancer à l'aide d'un appareil émettant des rayons. Les radiations agissent en détruisant les mécanismes qui permettent à une cellule de se développer.

▌ **la radiothérapie :** elle détruit les cellules cancéreuses à l'aide d'un appareil qui émet des rayons dirigés vers la prostate et la région prostatique. Elle peut être réalisée :

– **par voie externe :** les rayons sont émis par un appareil et le traitement se fait par des séances quotidiennes, espacées sur plusieurs semaines. C'est la **radiothérapie conformationnelle** ;

– **par voie interne :** des éléments radioactifs, mis en place dans la prostate sous anesthésie générale vont agir en détruisant petit à petit les cellules cancéreuses. C'est la **brachythérapie** ou **curiethérapie**.

Quelles sont les indications de ces différents traitements ?

L'opération chirurgicale

C'est le traitement de référence pour les hommes :
▌ jeunes : c'est-à-dire jusqu'à 70 ans et parfois plus si l'état général est excellent ;
▌ n'ayant pas de contre-indications à la chirurgie.

La radiothérapie

Elle est réservée aux hommes :
▌ qui ont 70 ans ou plus ;
▌ qui ont des contre-indications médicales à la chirurgie : problèmes cardiaques, pulmonaires, etc. ;
▌ qui refusent la chirurgie.

On associe parfois chirurgie et radiothérapie, mais toujours dans cet ordre car il est techniquement très difficile, voire impossible, d'opérer après radiothérapie.

Nous allons maintenant vous expliquer en quoi consiste cette intervention.

Bien comprendre l'intervention

L'intervention qui doit être réalisée est l'ablation complète de la prostate. Elle porte le nom plus technique de « prostatectomie radicale ». Elle va modifier de façon conséquente l'anatomie et le fonctionnement des voies urinaires et génitales.

L'anatomie : avant et après l'opération

Avant l'opération

La prostate est une glande sexuelle dont les sécrétions entrent dans la composition du sperme.

Cet organe d'environ 20 à 50 g est situé sous la vessie et en avant du rectum (figure 2). Il est traversé, dans sa partie centrale, par l'urètre (figure 3).

À chacune des deux extrémités de la glande, un muscle entoure l'urètre et empêche, par sa contraction permanente et involontaire, l'urine de s'écouler. Le premier situé sous la vessie s'appelle le col vésical ou sphincter proximal, le second situé à l'autre extrémité s'appelle le sphincter distal.

En arrière de l'urètre, et arrivant dans ce canal, se situent les deux canaux éjaculateurs. Chaque canal éjaculateur est formé par la réunion du déférent et d'une vésicule séminale. Les deux

Sperme : Liquide blanchâtre émis lors de l'éjaculation. Le sperme est constitué du liquide séminal, des sécrétions prostatiques et des spermatozoïdes.

Urètre : Canal reliant la vessie à l'extrémité de la verge. Il permet l'évacuation des urines et le passage du sperme lors de l'éjaculation.

Sphincter urinaire : Muscle dont la contraction empêche l'écoulement de l'urine.

Vésical : Qui se rapporte à la vessie.

Déférent ou canal déférent : Canal qui transporte les spermatozoïdes des testicules jusqu'au canal éjaculateur.

Vésicule séminale : Glande sexuelle dans laquelle s'accumule le liquide séminal.

13

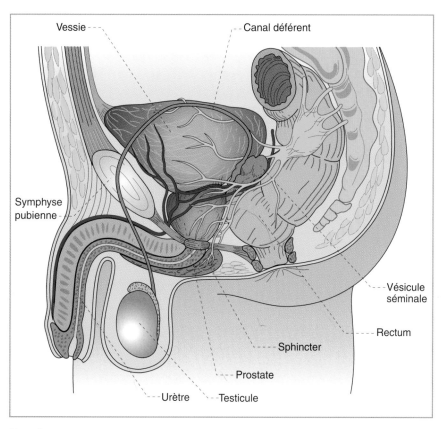

Vessie

Canal déférent

Symphyse
pubienne

Vésicule
séminale

Rectum

Sphincter

Prostate

Urètre

Testicule

Figure 2.
Anatomie du petit bassin.

Nerfs de l'érection
ou nerfs érecteurs
ou nerfs caverneux :
Nerfs véhiculant la
commande de
l'érection des centres
nerveux vers les corps
caverneux.

vésicules séminales et la terminaison des deux déférents sont étroitement liées à la glande prostatique.

Les nerfs de l'érection encore appelés nerfs érecteurs ou caverneux sont situés à quelques millimètres en dehors de la prostate, de chaque côté de celle-ci ; leur diamètre est microscopique et ils sont donc invisibles à l'œil nu (figure 4).

Après l'opération

La prostate et les vésicules séminales ont été retirées en totalité avec le sphincter proximal (parfois des conditions particulières permettent

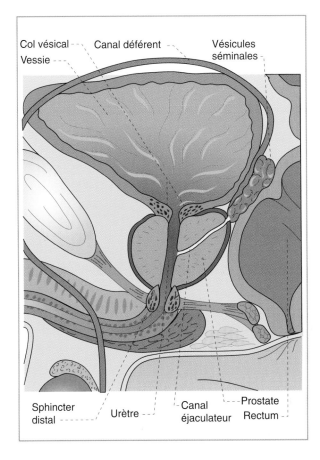

Figure 3.
Anatomie de la prostate.

Col vésical
Vessie
Canal déférent
Vésicules séminales
Sphincter distal
Urètre
Canal éjaculateur
Prostate
Rectum

de le conserver) et les déférents ont été sectionnés. La vessie est ensuite abaissée et l'orifice vésical recousu (suturé) directement à l'urètre juste au-dessus du sphincter distal (figure 5). Les nerfs érecteurs qui ne sont situés qu'à quelques millimètres de la prostate peuvent être, en fonction de la technique choisie, retirés avec elle ou bien laissés en place (figures 6 et 7).

Ces modifications anatomiques exposent à trois types de séquelles post-opératoires.

▌ L'une est constante : c'est la disparition de l'éjaculation puisque les vésicules séminales qui sécrètent le sperme ont été retirées.

Figure 4.
Les nerfs de l'érection.

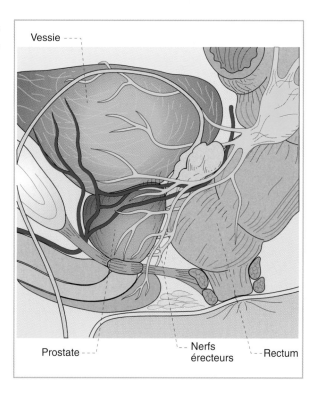

Vessie

Prostate

Nerfs
érecteurs

Rectum

Sphinctérien :
Qui appartient
au sphincter.

Érection : Mécanisme
qui permet à la verge
de se remplir de sang.
À l'état de repos, ou
flaccidité, la verge est
comme une éponge
vide. Une excitation
sexuelle va lui
permettre de se
remplir de sang et de
devenir rigide.

▌ Les deux autres sont potentielles :
– l'incontinence urinaire, car le système sphinctérien est fragilisé par l'intervention ;
– l'impuissance sexuelle, puisque l'opération
peut retirer les nerfs responsables de l'érection
ou, s'ils sont laissés en place, les blesser.

Ces notions succinctes d'anatomie permettent de
comprendre ce qui est la base de l'opération.
Toutefois, des détails techniques plus précis, et
que vous devez connaître, vont aussi condi-
tionner les résultats ultérieurs.
**Ils dépendent des impératifs de dissection que le
chirurgien doit observer en opérant un cancer
de prostate.**

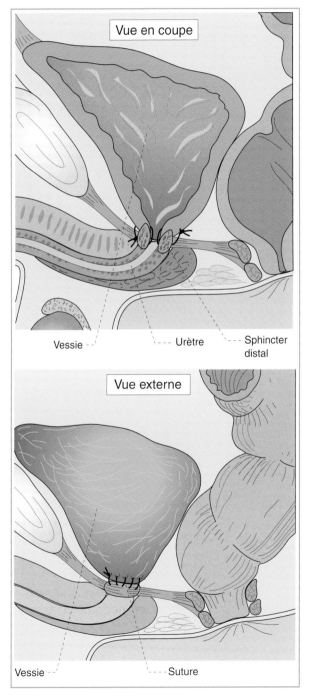

Figure 5.
**Prostatectomie :
la suture de la vessie
à l'urètre.**

Vue en coupe

Vessie

Urètre

Sphincter distal

Vue externe

Vessie

Suture

Figure 6.
Prostatectomie : ablation des nerfs érecteurs.

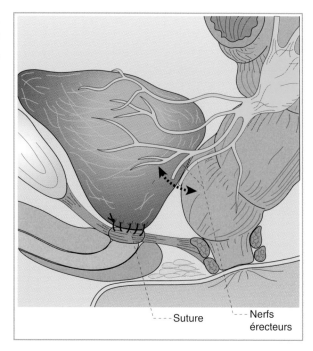

Suture

Nerfs érecteurs

Figure 7.
Prostatectomie : préservation des nerfs érecteurs.

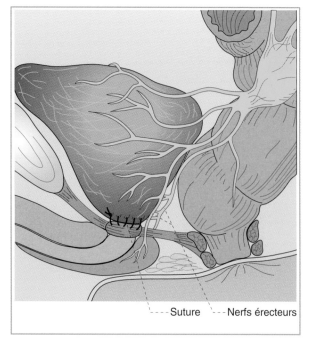

Suture   Nerfs érecteurs

Le développement du cancer et l'objectif chirurgical

Le but de l'opération est d'enlever le cancer dans sa totalité. Cet objectif n'est pas toujours facile à atteindre car il est impossible de se rendre compte de la diffusion exacte du cancer au moment de l'intervention. Cette évolution insidieuse complique considérablement la tâche du chirurgien puisqu'il doit passer au plus près de la prostate (et donc peut-être du cancer…) pour **conserver intacts** le sphincter distal et les nerfs érecteurs qui ne sont situés qu'à quelques millimètres.

Pour mieux comprendre cette difficulté, voyons comment se développe le cancer dans la prostate et quels sont les impératifs du chirurgien.

Le développement du cancer dans la prostate (figure 8)

Le stade localisé

Au stade initial, le cancer est de petit volume, il est entouré de tissu sain. La capsule qui enveloppe la prostate représente une sorte de barrière anatomique du cancer.

Figure 8. Les stades de développement du cancer prostatique - coupe de la prostate vue au microscope.

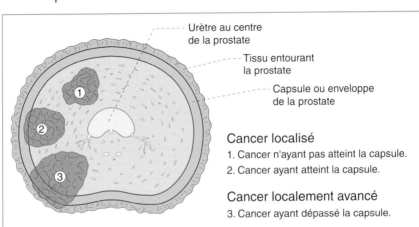

Urètre au centre de la prostate

Tissu entourant la prostate

Capsule ou enveloppe de la prostate

Cancer localisé
1. Cancer n'ayant pas atteint la capsule.
2. Cancer ayant atteint la capsule.

Cancer localement avancé
3. Cancer ayant dépassé la capsule.

Lorsque le volume augmente, le cancer atteint la capsule mais, à ce stade, ne la franchit pas encore.

Le stade localement avancé

Au stade suivant, le volume tumoral est plus important et la capsule est franchie. Le cancer commence à envahir les tissus situés en dehors de la prostate : c'est le dépassement capsulaire.

Cette évolution montre que le cancer **a toujours tendance à se développer vers la périphérie de la prostate**, sans que le chirurgien ait, à aucun moment, le moyen de juger de cette extension. C'est là que réside le principal danger de l'intervention.

Ainsi, le **risque** est de **vouloir passer trop près de la prostate** pour éviter de blesser les nerfs érecteurs et le sphincter **et venir ainsi entamer le cancer sans s'en apercevoir**, avec pour conséquence de laisser en place des cellules cancéreuses. Plus les conditions opératoires seront difficiles (obésité, taille de la prostate, technique chirurgicale choisie, etc.) et plus ce risque sera important.

La qualité du geste opératoire

Ce n'est qu'après l'opération, lorsque la prostate sera analysée au microscope que l'on pourra juger réellement de la qualité du geste chirurgical. Pour être certain que le cancer a été retiré en totalité, il doit persister une enveloppe de tissu sain sur toute la périphérie de la prostate.

On peut faire une comparaison avec un fruit avarié : si vous en retirez une partie qui vous semble mauvaise, vous passerez au large et devrez retrouver, sur le morceau enlevé, du fruit sain tout autour de la zone malade.

En terme technique, la zone périphérique de la pièce opératoire s'appelle « la marge chirurgicale ». Elle doit être partout constituée de tissu sain : le cancer ne doit jamais apparaître à ce niveau.

On définit ainsi (figure 9) :

▌ **les marges chirurgicales négatives :** il existe du tissu sain sur toute la périphérie de la pièce ; le geste opératoire est passé à distance du cancer ;

▌ **les marges chirurgicales positives :** le cancer atteint la périphérie de la pièce ; le geste opératoire est passé au contact du cancer :
– soit dans un stade localisé : le chirurgien est passé trop près de la prostate et a entamé plus ou moins le cancer ;
– soit dans un stade localement avancé : le chirurgien est passé à distance de la prostate mais le cancer est trop étendu.

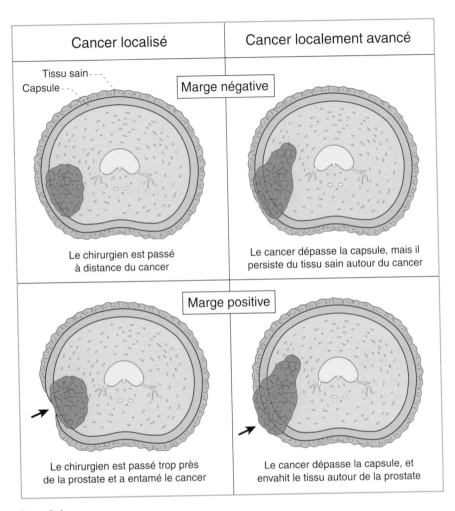

Cancer localisé	Cancer localement avancé

Tissu sain
Capsule

Marge négative

Le chirurgien est passé
à distance du cancer

Le cancer dépasse la capsule, mais il
persiste du tissu sain autour du cancer

Marge positive

Le chirurgien est passé trop près
de la prostate et a entamé le cancer

Le cancer dépasse la capsule, et
envahit le tissu autour de la prostate

Figure 9. **Les marges-
coupe de la prostate
vue au microscope.**

À RETENIR

En cas de marge positive, il peut y avoir
alors un doute sur la persistance de cellules
tumorales et donc un risque de récidive de la
maladie quelques années plus tard. Plus la
marge positive est petite et plus ce risque est
faible.

L'examen histologique et le pronostic

Cet examen est l'analyse microscopique de la prostate. Il est réalisé plusieurs jours après l'opération. La prostate est étudiée sur de multiples coupes afin d'évaluer **tous les paramètres qui vont permettre d'établir le pronostic à long terme :**

▌ le volume tumoral ;

▌ le score de Gleason ;

▌ la présence ou non d'un franchissement capsulaire ;

▌ la présence ou non de marges positives.

Vous pouvez si vous le souhaitez prendre connaissance de ce résultat et discuter de chaque point avec votre chirurgien. Il peut être décidé, en fonction de chaque cas, de réaliser secondairement un traitement complémentaire.

Ces notions d'anatomie et d'évolution du cancer prostatique sont suffisantes pour que vous puissiez comprendre les risques que comporte la prostatectomie radicale.

Les risques de l'opération : la continence urinaire et la sexualité

Continence : Capacité à retenir ses urines entre deux mictions.

La continence urinaire

La section de l'urètre doit se faire en théorie au ras de la glande prostatique pour conserver au maximum le sphincter distal.

En réalité ce n'est pas aussi simple, car la limite entre la prostate et le sphincter n'est jamais franche (figure 10).

▌ Dans certains cas la prostate s'étend dans le sphincter et c'est au moment où l'urètre est sectionné que l'on constate qu'il reste du tissu prostatique (figure 10.a).

▌ **Cela impose de reprendre la coupe** en descendant quelques millimètres plus bas car ce fragment prostatique, même minime, peut être infiltré par des cellules cancéreuses (figure 10.b).

▌ **Il peut donc y avoir des fuites** d'urines qui surviennent au cours des augmentations de pression de la vessie, et notamment lors des efforts : la toux, l'éternuement, les changements de position. Cela peut durer de quelques semaines à quelques mois, le temps que le muscle retrouve un tonus suffisant. Une rééducation bien suivie, encadrée par un kinésithérapeute, est alors indispensable.

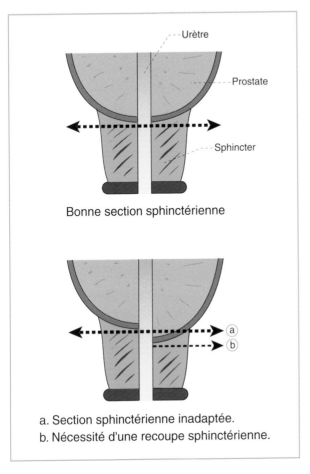

Figure 10.
La section sphinctérienne.

Bonne section sphinctérienne

a. Section sphinctérienne inadaptée.
b. Nécessité d'une recoupe sphinctérienne.

Le sphincter distal peut donc être plus ou moins fragilisé en fonction de l'anatomie de chacun. Cette diminution de sa force (ou tonus) ne lui permet plus de fermer complètement le canal de l'urètre, il perd son étanchéité et laisse des petites quantités d'urine s'écouler.

▋ **L'importance de ces fuites est extrêmement variable** selon les personnes. Pour beaucoup, il n'y a aucune fuite ou seulement quelques gouttes incontrôlées ; pour d'autres, les fuites nécessitent le port de plusieurs garnitures quotidiennes. Dans près de 85 % des cas, la rééducation bien conduite permettra de les faire disparaître, le plus souvent dans les trois mois qui suivent l'intervention. Chez certains, elles se poursuivront plus longtemps (de six mois à un an) mais en diminuant constamment avec le temps. 5 à 10 % des patients porteront ultérieurement un protège-slip de sécurité en raison de quelques gouttes d'urine incontrôlées. Dans 5 à 10 % des cas des petites fuites persisteront de façon définitive lors des efforts importants ou provoquées par la fatigue en fin de journée. Ces fuites nécessitent le port d'une ou plusieurs garnitures. Nous verrons plus loin le traitement qui peut être proposé à ces patients.

La sexualité

L'intervention peut être réalisée selon deux techniques différentes, suivant que l'on décide ou non de préserver les nerfs de l'érection (figure 11).

La préservation des nerfs érecteurs

Le choix de préserver les nerfs érecteurs dépend essentiellement du stade du cancer et de la sexualité préalable de chacun.

Le stade du cancer

Les nerfs érecteurs, microscopiques, sont situés à quelques millimètres des deux bords latéraux droit et gauche de la prostate. Ils sont entourés de tissu comportant des petites veines et des

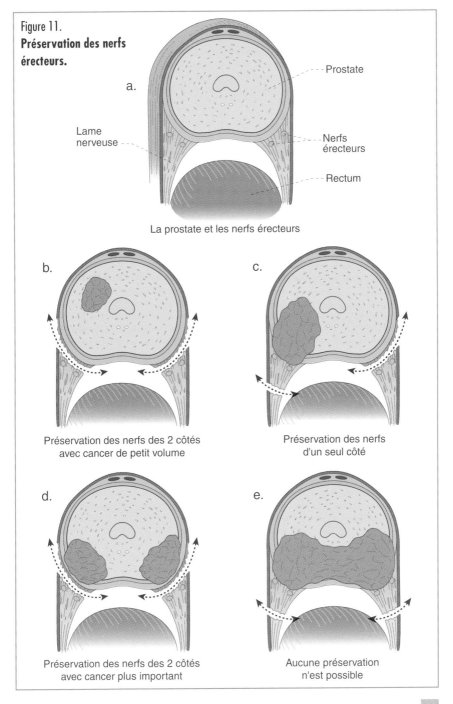

Figure 11.
Préservation des nerfs érecteurs.

a.

Prostate

Lame nerveuse

Nerfs érecteurs

Rectum

La prostate et les nerfs érecteurs

b.

Préservation des nerfs des 2 côtés avec cancer de petit volume

c.

Préservation des nerfs d'un seul côté

d.

Préservation des nerfs des 2 côtés avec cancer plus important

e.

Aucune préservation n'est possible

artères : l'ensemble de ces éléments est appelé « la lame nerveuse » (figure 11. a).

Pour conserver ces rameaux nerveux, le chirurgien doit passer très près de la prostate, à environ 3 à 4 mm. Cela ne peut donc être réalisé que si le cancer est de petit volume et s'il n'y a aucun risque de franchissement capsulaire.

Pour mieux comprendre, voici quelques exemples de décision opératoire :

▌ Un patient qui a un cancer de très petit volume peut bénéficier d'une préservation nerveuse des deux côtés (figure 11. b).

▌ Lorsque le cancer atteint la totalité d'un lobe avec une forte probabilité d'extension hors de la capsule et que l'autre côté est sain, on réalisera une préservation uniquement sur le côté sain (figure 11. c).

▌ Lorsque le cancer est de volume intermédiaire et qu'il est au contact de la capsule, **ce qui est le cas le plus fréquent**, la préservation nerveuse des deux côtés restera possible, surtout chez un homme jeune. **En revanche elle imposera alors une technique opératoire très précise pour éviter tout risque de marge positive** (figure 11. d).

Il faut donc avant l'intervention apprécier avec le plus de précision possible ces risques d'envahissement local. C'est ce que nous avons vu au précédent chapitre.

Le chirurgien reprendra tous ces paramètres avec vous en faisant une sorte de synthèse qui définira la conduite à tenir :
▌ **Peut-on, dans votre cas, préserver les nerfs érecteurs ?**
▌ **Si oui, peut-on les préserver :**
– des deux côtés ?
– seulement d'un seul côté ?

> Toutefois, cette décision ne se prendra que sur un faisceau de présomption, mais jamais sur une certitude de l'envahissement local, qui ne peut se constater qu'après l'opération sur l'examen histologique.

Enfin, il peut y avoir, dans des circonstances assez rares, des impératifs qui, au moment de l'intervention, amèneront le chirurgien à modifier l'attitude proposée avant l'opération.

C'est le cas des personnes qui ont été opérées au préalable d'un adénome prostatique. Cette opération peut créer des adhérences qui fixent en quelque sorte les nerfs érecteurs à la capsule prostatique. Il y a donc un risque en conservant les nerfs de créer des marges positives dans le cancer.

Dans de telles circonstances, le chirurgien décide souvent de ne pas faire de préservation nerveuse, mais il vous aura alors prévenu, avant l'opération, de cette possibilité.

La sexualité avant l'intervention

Malgré une préservation réalisée des deux côtés dans d'excellentes conditions, on constate dans la moitié des cas un petit fléchissement de la qualité des érections ultérieures. Les meilleurs résultats sont obtenus chez les personnes qui avaient avant l'opération des érections avec une rigidité strictement normale.

Chez ceux qui ont des problèmes d'érection depuis quelque temps avec parfois des «pannes» sexuelles, le résultat sera beaucoup plus aléatoire. Il faudra dans ces cas-là bien réfléchir à l'intérêt de la préservation nerveuse par rapport à ses risques de marges positives.

Votre chirurgien vous posera donc des questions très précises sur la qualité de vos érections, la fréquence de vos rapports sexuels, mais aussi sur l'intérêt général que vous portez à votre vie sexuelle.

Ainsi, au terme de ce bilan évaluant le stade du cancer et vos désirs de conserver ou non une fonction érectile, votre médecin pourra vous conseiller sur le choix de la technique opératoire mais la décision finale vous appartiendra. N'hésitez pas à vous donner un délai de réflexion pour prendre le temps d'en discuter avec votre partenaire. Parfois ce qui paraît évident au moment de la consultation l'est beaucoup moins quelque temps plus tard. Le chirurgien attendra alors votre décision et vous reverra en consultation pour en rediscuter.

Les résultats

Les meilleurs pourcentages de réussite (c'est-à-dire la reprise des rapports sexuels) publiés par les équipes chirurgicales vont de 68 % à 80 % lorsque la préservation nerveuse a pu être réalisée des deux côtés. Ces chiffres sont diminués de 20 à 30 % lorsque la préservation intéresse un seul côté.

Attention : après l'intervention, il existera pendant de longs mois une paralysie de ces nerfs. La récupération de cette fonction nerveuse se fera très lentement et par étapes successives, autorisant le plus souvent la reprise des rapports sexuels entre 12 et 24 mois. Voici les étapes habituelles de cette reprise de la fonction érectile :

▮ pendant les trois premiers mois après l'opération, il n'y a habituellement aucune érection ;

▮ à partir de trois mois (mais cela peut-être plus long), on constate l'apparition de la tumescence, c'est-à-dire le simple grossissement de la verge

Tumescence :
Augmentation de longueur et de diamètre de la verge, étape précédant la rigidité.

avec un allongement mais sans rigidité. Cette tumescence va progressivement augmenter dans les mois qui suivent;

▌ vers six mois à un an, on observe la réapparition de la rigidité, mais elle est très inconstante et peut ne survenir qu'une seule fois pendant plusieurs semaines;

▌ à partir de douze mois et jusqu'à deux ans, l'évolution va se faire plus favorablement avec des érections plus rigides et plus durables au fil du temps, permettant alors les premiers rapports sexuels.

Nous verrons en détail toutes ces étapes de la reprise de la fonction érectile dans un chapitre ultérieur.

À RETENIR

Si l'opération perturbe le fonctionnement de l'érection, elle n'altère pas le plaisir sexuel. L'orgasme demeure, il est différent mais toujours considéré comme agréable. Les nerfs qui transmettent la sensibilité de la verge, et donc l'intensité du plaisir sexuel, sont intacts, ils n'empruntent pas le même trajet que les nerfs de l'érection. Au moment de l'orgasme, il n'y a plus d'éjaculation puisque les vésicules séminales ont été retirées et les canaux déférents sectionnés. La stérilité est donc une conséquence inéluctable de l'opération. Chez les hommes jeunes désireux de conserver leur possibilité de procréer, il est conseillé de réaliser avant l'intervention une mise en banque du sperme. Votre chirurgien vous conseillera sur la démarche à suivre.

L'ablation des nerfs érecteurs

Elle est réalisée chez les patients qui n'ont plus d'érection avant l'opération ou pour lesquels le cancer est trop évolué. Le chirurgien passe alors beaucoup plus loin de la prostate afin de ne prendre aucun risque d'avoir des marges positives (figure 11. e). Dans ces cas-là les nerfs érecteurs sont irrémédiablement endommagés et les érections «naturelles» (sans aide pharmacologique, nous reverrons cela plus loin) ne seront plus possibles.

Toutefois, nous venons de le voir, le plaisir sexuel demeure, l'orgasme survenant sur une verge non rigide.

L'opération : la prostatectomie radicale

Le déroulement technique de l'opération

Il existe deux façons différentes de réaliser la prostatectomie radicale (en réalité, il en existe une troisième : la prostatectomie périnéale. Nous ne la traiterons pas dans ce livre car très peu de chirurgiens la réalisent) :

▌ **la prostatectomie rétropubienne** est l'intervention de référence (ou le standard). Elle est réalisée en faisant une incision, c'est l'opération dite « à ciel ouvert » ;

▌ **la prostatectomie cœlioscopique** : le chirurgien opère alors avec des instruments introduits dans la cavité abdominale par des trocarts. Il peut manipuler ses instruments directement ou par une commande à distance (robot). Le contrôle de ses gestes est réalisé par l'intermédiaire d'une caméra fixée à une tige optique. Cette caméra retransmet l'image intra-abdominale sur un écran de télévision.

Trocart : Tube de diamètre variable muni d'une extrémité pointue amovible. Introduit à travers la paroi de l'abdomen il permet le passage des instruments ou de la caméra en cœlioscopie.

Nous allons décrire successivement ces deux techniques en soulignant les avantages et les inconvénients de chacune.

La prostatectomie rétropubienne

▌ Le chirurgien réalise une incision assez basse, verticale, médiane, entre le pubis et le nombril ou transversale au-dessus du pubis, cette dernière est plus esthétique mais ne peut être réalisée que chez les patients n'ayant pas d'excès de poids, sinon le chirurgien ne sera pas dans de bonnes conditions pour opérer.

▍ Le premier temps opératoire consistera dans certains cas à prélever et faire analyser les ganglions prostatiques (notamment lorsque le PSA est supérieur à 10 ng/ml) car l'atteinte de ces ganglions, qui est actuellement devenue rare, modifiera le déroulement du traitement.

▍ La prostate est libérée sur ses deux faces latérales des parois du bassin. Le geste opératoire se poursuit par la section de l'urètre qui doit se faire au niveau du sphincter distal, et à quelques millimètres de l'extrémité prostatique. La prostate va ensuite être retirée en totalité avec les vésicules séminales et la terminaison des deux déférents selon deux techniques différentes suivant que l'on conserve ou non les nerfs de l'érection. L'orifice vésical (avec parfois le sphincter proximal, lorsqu'il a été conservé) est recousu (suturé) directement à l'**urètre sphinctérien**.

Urètre sphinctérien : Portion de l'urètre où se situe le sphincter.

▍ Pour éviter que l'urine ne passe à travers la suture (qui n'est pas toujours étanche immédiatement), une sonde vésicale est introduite par la verge dans la vessie (figure 12). Cette sonde facilitera ainsi l'écoulement de l'urine pendant quelques jours. La durée de ce sondage est très variable, elle dépend beaucoup des habitudes de chaque chirurgien.

Enfin pour éviter un hématome, c'est-à-dire une accumulation de sang dans la zone opérée, un petit drain aspiratif (tuyau), laissé en place, ressort directement à travers la peau à côté de l'incision. Les muscles et la peau sont ensuite refermés.

L'intervention dure environ deux heures.

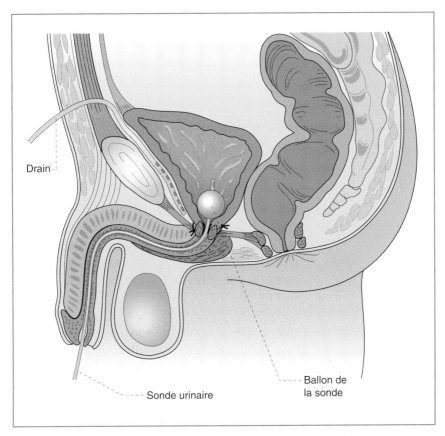

Drain

Sonde urinaire

Ballon de
la sonde

Figure 12.
**Mise en place d'un drain
et d'une sonde urinaire
après prostatectomie.**

La prostatectomie cœlioscopique

▌ Pour réaliser cette technique, le chirurgien doit d'abord gonfler l'abdomen avec du gaz (le dioxyde de carbone). Il peut alors positionner, à travers la paroi de l'abdomen, quatre ou cinq trocarts à l'intérieur desquels seront introduits une caméra et des instruments. Tous les gestes opératoires seront ensuite visualisés sur un écran.

▌ Le prélèvement ganglionnaire est effectué en premier (s'il est nécessaire).

▌ L'ablation de la prostate est réalisée d'une façon différente car le chirurgien ne peut travailler que dans l'axe de la caméra et de ses instruments. Ainsi, la libération des vésicules séminales qui est le dernier geste de l'opération à ciel ouvert, devient ici la première étape de l'intervention. Lorsque la prostate est complètement libérée, elle est alors retirée par un des orifices utilisés pour le passage des instruments en élargissant de plusieurs centimètres l'incision pour pouvoir la sortir. La vessie est ensuite recousue de la même façon à l'urètre.

▌Comme dans l'intervention classique, un drain, qui passe à travers la peau, est mis en place pour quelques jours, ainsi qu'une sonde vésicale, elle aussi conservée pendant quelques jours.

▌Les différents orifices sont ensuite refermés.

La durée opératoire de cette intervention est en règle générale plus longue : de trois à quatre heures et parfois beaucoup plus.

Avantages et inconvénients des deux techniques : que faut-il choisir ?

La prostatectomie rétropubienne

▌**Avantages**

L'atout majeur de cette technique est la précision de l'acte opératoire.

L'ouverture cutanée permet au chirurgien de modifier, à sa convenance et à tout moment, l'exposition de la prostate pour faciliter les temps de dissection les plus délicats : la section urétrale ou la préservation des nerfs érecteurs.

L'extrême finesse des instruments utilisés pour ces gestes opératoires autorise aujourd'hui une technique sûre et reproductible chez tous les patients.

Inconvénients

L'incision cutanée et musculaire est un peu plus sensible après l'intervention. La convalescence est d'environ un mois.

La prostatectomie cœlioscopique

Avantages

L'hyperpression gazeuse de l'abdomen, associée au fort grossissement de la caméra, facilite le travail du chirurgien autorisant un geste précis pour certains temps opératoires : c'est le cas pour la dissection des vésicules séminales et la libération des faces latérales de la prostate.

Les cicatrices sont de plus petite taille que celles de la chirurgie conventionnelle, la convalescence est donc un peu plus courte.

Inconvénients

La voie cœlioscopique impose des contraintes au chirurgien puisqu'il ne peut travailler que dans l'axe de la caméra. Pour les temps opératoires délicats, il n'a pas la possibilité d'exposer la prostate sous son meilleur angle, comme à « ciel ouvert ».

C'est le cas pour deux temps opératoires importants : l'évaluation des limites entre sphincter et glande prostatique, et surtout celle entre lames nerveuses et capsule prostatique. Cette incertitude de dissection, indépendante de l'opérateur, est la vraie difficulté de la prostatectomie cœlioscopique.

Par ailleurs, les durées opératoires sont beaucoup plus longues : la moyenne est de trois à quatre heures mais cela peut aller jusqu'à sept et huit heures.

Que faut-il choisir ?

La prostatectomie cœlioscopique est une intervention récente réalisée pour la première fois en 1997. Au début de leur expérience, les auteurs de cette technique avaient mis en avant l'amélioration du confort post-opératoire des patients et une récupération plus rapide de la continence et de la fonction érectile par rapport à la chirurgie classique.

Après un certain recul, il est maintenant possible d'analyser les différentes publications des équipes qui ont développé cette technique et de faire une synthèse de ce qui ressort de tous ces travaux.

La cœlioscopie majore considérablement la difficulté opératoire

Si de nombreuses interventions urologiques sont actuellement réalisables en cœlioscopie, les exigences techniques de la prostatectomie totale rendent très difficile sa réalisation parfaite sous cœlioscopie.

C'est de loin le premier élément qui est développé dans toutes les communications scientifiques. Cette difficulté opératoire se traduit par :
▌ **des taux élevés de marges positives** constatés par certaines équipes ;
▌ **des durées opératoires parfois très longues** allant de 6 à 7 heures ;
▌ **un risque de complications** post-opératoires inhabituelles dont certaines graves, lié soit à la longueur excessive de l'anesthésie, soit à la difficulté particulière de la prostatectomie par cœlioscopie. Ces complications ont conduit certaines équipes à abandonner cette technique chirurgicale.

Les résultats ne confirment pas l'impression initiale

▌ La récupération de la continence n'est pas plus rapide que pour la chirurgie à ciel ouvert.

▌ La reprise des rapports sexuels, après préservation des nerfs érecteurs, reste inférieure à la chirurgie à ciel ouvert.

Les équipes chirurgicales divergent sur les conclusions qu'il faut tirer de ces résultats

▌ **Pour certaines, favorables à la cœlioscopie, c'est le reflet de la courbe d'apprentissage des chirurgiens.**

En effet, les durées opératoires et le taux de complications diminuent avec l'expérience. À plus long terme, la cœlioscopie devrait obtenir les mêmes résultats que la chirurgie à ciel ouvert et notamment sur le plan sexuel.

Pouvoir retirer la prostate en faisant le minimum de cicatrice est le vrai challenge technique.

▌ **Pour d'autres équipes ces résultats définissent au contraire les limites de la cœlioscopie.**

En effet, plus la difficulté opératoire grandit et plus on augmente le risque de marge positive, quelle que soit l'expérience de l'opérateur.

Aussi, pour diminuer simplement la taille de la cicatrice, est-il souhaitable de majorer un tel risque dont les conséquences peuvent hypothéquer les chances de guérison. Le but de la prostatectomie radicale est avant tout d'assurer l'ablation complète de la tumeur.

Dès lors, les options techniques des chirurgiens divergent en fonction de leurs choix prioritaires.

▌ **Pour les équipes opérant à ciel ouvert,** l'objectif principal est de concentrer tous les efforts techniques sur trois points :

– réduction du taux des marges positives ;
– amélioration des résultats sur la continence ;
– amélioration des résultats sur la sexualité.

La priorité est de pouvoir opérer dans les meilleures conditions techniques. La cicatrice n'est pas prise en compte.

Pour les équipes opérant sous cœlioscopie, l'objectif est mixte :
– obtenir les mêmes résultats qu'à ciel ouvert en ce qui concerne le taux de marges positives, la qualité de la continence ou de la sexualité ;
– diminuer la taille de la cicatrice.

Le risque supplémentaire de la dissection par voie cœlioscopique n'est pas pris en compte.

Il faudra donc attendre encore quelques années pour se faire une opinion plus précise. Il sera alors possible de comparer pour chaque technique le taux de récidive biologique**, après l'opération. En l'absence de résultats définitifs, la voie rétropubienne reste actuellement la technique chirurgicale de référence.**

Récidive biologique : Nouvelle élévation du PSA après prostatectomie radicale. Elle doit être constatée à deux dosages successifs à six mois d'intervalle. Elle témoigne d'une reprise microscopique du cancer.

Les complications post-opératoires

Dans les suites d'une intervention chirurgicale, deux types de complications peuvent survenir :
▌ celles qui sont en relation immédiate avec l'acte opératoire : ce sont les « complications chirurgicales » ;
▌ celles qui sont indirectement liées à l'acte opératoire : ce sont les « complications générales ».

Nous allons les traiter successivement pour les deux techniques : **prostatectomie rétropubienne et cœlioscopique.**

Les complications de la prostatectomie rétropubienne

Les complications chirurgicales

Les pertes sanguines et le risque de transfusion

La prostatectomie était considérée, il y a quelques années, comme une intervention hémorragique avec un risque élevé de devoir effectuer une transfusion.

Les progrès techniques récents ont permis de contrôler efficacement le saignement pendant l'opération abaissant le risque de transfusion aux alentours de 3 à 10 %.

C'est en fait le saignement post-opératoire qui est le plus souvent responsable de pertes sanguines significatives. Ce saignement, négligeable à la fin de l'intervention, peut de façon imprévisible être un peu plus important dans les heures qui suivent.

Il se produit alors une accumulation de sang dans la zone opérée que le drain ne peut évacuer complètement : on appelle cela un hématome.

Si cet hématome est important, au point d'être douloureux, on peut être exceptionnellement amené à réopérer pour l'évacuer. Le plus souvent, il ne s'accompagne d'aucune douleur et c'est la prise de sang de contrôle vers le deuxième ou troisième jour qui montre une baisse du taux des globules rouges et de l'hémoglobine et laisse supposer qu'un hématome a dû se produire. Il va se résorber tout seul spontanément.

Un tel hématome peut nécessiter, dans de rares cas, une transfusion.

Les patients qui ont eu une préservation nerveuse sont un peu plus exposés à ce risque car l'**électrocoagulation** des petits vaisseaux sanguins, faite en fin d'intervention, est ici interdite car elle détruirait dans le même temps les rameaux nerveux.

Les complications pendant l'intervention

Elles sont exceptionnelles : il s'agit de blessures involontaires d'organes de voisinage qui sont immédiatement réparées par le chirurgien ; citons, par exemple, la plaie de l'uretère ou du rectum. Parfois cette plaie rectale, lorsqu'elle est minime, peut passer inaperçue au moment de l'intervention. Le diagnostic est fait quelques jours plus tard en présence de troubles digestifs et éventuellement de fièvre. La ré-intervention permettra de suturer le rectum, mais il faut souvent protéger la cicatrisation de celui-ci en associant une dérivation par un anus artificiel temporaire pendant trois mois.

Électrocoagulation : Coagulation d'un fragment de tissu à l'aide d'une électrode. Lorsqu'elle intéresse une artère ou une veine de petit calibre, elle permet alors d'arrêter le saignement.

L'hématome et l'abcès de la cicatrice

▌Parfois il peut survenir un saignement sous la peau qui entraîne secondairement une accumulation de sang. Cet hématome va se traduire par un gonflement plus ou moins important de la cicatrice. Il faut alors retirer quelques fils ou quelques agrafes pour permettre l'écoulement de sang noirâtre. Tout rentre dans l'ordre en quelques jours avec quelques soins locaux réalisés par une infirmière.

▌L'abcès de la cicatrice ressemble à l'hématome. C'est une infection qui survient quelques jours après l'opération et qui entraîne une formation de pus sous la peau. Il existe une cicatrice gonflée avec de la fièvre. Le traitement est le même que pour l'hématome : il faut retirer quelques points et le pus s'évacue instantanément. Cela nécessite ensuite quelques soins infirmiers car la cicatrisation cutanée est un peu plus longue.

Les anomalies de la suture entre la vessie et l'urètre

Elles sont rares.

Le défaut d'étanchéité de la suture peut s'accompagner d'une fuite d'urine qui sera évacuée par le drain. Le traitement est simple : il faut laisser la sonde urinaire en place suffisamment longtemps pour permettre la cicatrisation. Le délai du sondage est variable selon l'importance de la fuite d'urine : de une à trois semaines. Parfois, il peut se produire une complication rarissime : la fistule urétro-rectale, qui est une communication entre l'urètre et le rectum. Elle peut survenir chez les patients qui ont eu une plaie rectale pendant l'intervention. Les deux sutures, urètre et vessie, et celle du rectum se sont accolées anormalement, créant ensuite une communication entre les deux organes. Il faut alors remettre la sonde en place pendant plusieurs semaines, voire réopérer.

Le rétrécissement de la suture est constaté quelques semaines après l'intervention. Il se traduit par une baisse progressive du jet urinaire.

Le traitement de la zone rétrécie consiste en une dilatation sous anesthésie locale qui peut être renouvelée plusieurs fois.

La lymphocèle

Cette complication peut survenir lorsque les ganglions ont été enlevés. Les petits vaisseaux lymphatiques qui ont été coupés transportent un liquide (la lymphe) qui peut s'accumuler dans la région opératoire après l'opération. Cette situation est tout à fait comparable à l'hématome, le sang étant ici remplacé par la lymphe : c'est la lymphocèle.
Lorsque l'accumulation de lymphe est importante, il faut la ponctionner avec une fine aiguille. Ce geste est très simple et peut être renouvelé une ou plusieurs fois.

Le défaut de cicatrisation des muscles abdominaux

Cette complication survient chez 1 à 2 % des patients, elle s'appelle l'éventration.

Elle est souvent expliquée par une reprise trop rapide de l'activité ou la mise en tension des muscles abdominaux de façon violente sur une cicatrice fragile.

Si on prend soin de bien attendre un mois après l'intervention avant de reprendre une activité physique normale et, au moins deux mois, pour le sport, on évitera cette complication.

Il peut être nécessaire de réopérer pour réparer la paroi abdominale.

Les complications générales

L'infection urinaire

Cette complication ne s'accompagne le plus souvent d'aucun symptôme. Parfois il peut y avoir quelques brûlures en urinant ou de façon plus rare de la fièvre. L'analyse d'urine, faite systématiquement en cours d'hospitalisation, confirmera le diagnostic.

Un traitement antibiotique est alors prescrit pendant plusieurs jours.

La phlébite

Ce risque accompagne toutes les interventions chirurgicales, c'est la raison pour laquelle il est réalisé systématiquement un traitement préventif par *Héparine*, qui nécessitera une piqûre quotidienne pendant l'hospitalisation et, fréquemment, après votre retour à domicile pendant huit à dix jours.

L'embolie pulmonaire

Elle survient après une phlébite, passée inaperçue, malgré le traitement de prévention par *Héparine*. Son évolution est le plus souvent favorable, mais parfois il peut s'agir, de façon exceptionnelle, d'un accident brutal et massif pouvant mettre la vie en danger.

Les complications cardiaques

Elles sont tout aussi exceptionnelles que l'embolie pulmonaire, elles témoignent très souvent d'une maladie cardiaque ancienne.

À RETENIR

Le but de la consultation d'anesthésie faite avant l'opération est de déterminer le plus précisément possible quels sont les risques opératoires. Si ces risques sont importants, le médecin anesthésiste pourra contre-indiquer l'intervention.

Les complications de la prostatectomie cœlioscopique

Toutes les complications qui viennent d'être décrites peuvent également survenir après la prostatectomie cœlioscopique. Certaines, par contre, lui sont **spécifiques**.

Les complications chirurgicales

Les complications pendant l'intervention

▌ **Les blessures d'un organe lors de la mise en place des trocarts :** ce risque existe mais il est très rare. En fait, il s'agit le plus souvent d'une petite artère musculaire qui a été blessée, son électrocoagulation arrête le saignement immédiatement.

▌ **Les blessures d'un organe lors de l'opération :** ce risque est plus fréquent qu'à ciel ouvert. La réparation de l'organe peut être faite sous cœlioscopie mais le geste est toujours délicat. Certains chirurgiens préféreront « convertir », c'est-à-dire opérer classiquement par une ouverture, pour réparer l'organe sans prendre de risque.

Les anomalies de la suture entre la vessie et l'urètre

Elles sont incontestablement plus fréquentes sous cœlioscopie, la suture entre la vessie et l'urètre étant techniquement beaucoup plus difficile à réaliser.

De même, les fistules urétro-rectales ne sont plus aussi exceptionnelles qu'à ciel ouvert.

Les complications générales

▌ **L'embolie gazeuse :** cet accident est très rare et peut survenir dans toute intervention cœlioscopique. Elle est due à la blessure involontaire d'une veine de gros calibre. Le gaz utilisé pour gonfler l'abdomen s'introduit dans une veine et gagne les poumons. Le pronostic dépend bien entendu de la quantité de gaz qui a migré. L'évolution est heureusement favorable le plus souvent.

▌ **Les complications dues aux durées d'interventions très longues :** les accidents qui ont été cités dans les publications sont variés. Nous citerons le plus important : **l'insuffisance rénale aiguë**. Lorsque l'anesthésie est trop longue, les muscles trop longtemps inactifs libèrent des produits toxiques qui passent dans le sang et détériorent les reins, pouvant nécessiter le passage en réanimation.

Conclusion

L'énumération de toutes ces complications peut vous inquiéter. En fait, elle doit simplement vous rappeler que le risque zéro n'existe pas, comme dans beaucoup d'autres domaines.

Si la prostatectomie cœlioscopique est en cours d'évaluation, la prostatectomie radicale à ciel ouvert est devenue une intervention extrêmement sûre avec un taux de complications très faible.

Se préparer
à l'opération

Choisir la date et s'organiser

Vous avez maintenant tous les éléments qui vous permettent de mieux situer cette intervention en fonction de votre emploi du temps. Il faut en effet prévoir un arrêt d'activité minimum d'un mois, c'est-à-dire une semaine environ d'hospitalisation et trois semaines de repos à votre domicile.

À l'issue de cette période, tout dépendra de la qualité de votre continence urinaire. Si elle est totalement acquise, vous mènerez alors une vie normale, sinon vous pouvez être handicapé dans votre exercice professionnel tant que la rééducation n'aura pas permis d'obtenir une disparition de ces fuites. C'est donc à vous de prévoir, en fonction de votre activité professionnelle et de cet inconfort potentiel, les solutions qui vous semblent les plus adaptées à votre cas.

La consultation d'anesthésie

Cette consultation a pour but de déceler et prévenir les risques opératoires, qu'il s'agisse de problèmes cardiaques, pulmonaires, ou autres. Le médecin anesthésiste vous interrogera sur vos antécédents médicaux et votre prise éventuelle de médicaments. Il vous précisera le type d'anesthésie qui sera réalisé et vous expliquera tous les moyens efficaces et modernes de lutte contre la douleur, après l'intervention.

Il vous fera réaliser un bilan pré-opératoire : examens biologiques, électrocardiogramme, éventuellement consultation de cardiologie, etc. Cette consultation d'anesthésie est indispensable et obligatoire dans les quinze jours qui précèdent l'intervention. Votre chirurgien vous demandera simplement une analyse d'urine huit à dix jours avant l'intervention afin de vérifier l'absence d'infection urinaire qui pourrait contre-indiquer temporairement l'opération.

Conseils avant l'opération

Vous venez de passer un cap très important puisque vous avez pris la décision d'être opéré. Il faut maintenant oublier votre inquiétude ou votre angoisse en faisant totalement confiance à l'équipe chirurgicale qui vous prend en charge. Elle mettra tout en œuvre pour que vous puissiez guérir sans séquelles de votre cancer. Essayez de ne plus y penser, vous serez alors beaucoup plus serein en attendant la date de l'opération.

L'hospitalisation

La veille de l'intervention

Vous arriverez la veille de l'intervention, le plus souvent en fin d'après-midi.

N'oubliez pas d'apporter tous vos examens sanguins, urinaires et radiographiques, votre carte de groupe sanguin, vos papiers d'Assuré social, etc.

Le premier contact se fera alors avec l'infirmière qui vous présentera le service et vous expliquera en détail la chronologie des événements depuis votre entrée jusqu'à la sortie de l'hôpital ou de la clinique.

La région opératoire sera rasée puis vous prendrez une douche soigneuse.

Souvent, vous aurez à boire une préparation destinée à nettoyer l'intestin avant l'intervention (préparation colique).

Vous devrez rester à jeun (sans boire, ni manger, ni fumer) à partir de minuit.

Hypnotiques : Produits pharmacologiques utilisés en anesthésie pour induire le sommeil.

Morphiniques : Produits pharmaceutiques utilisés pour supprimer la douleur.

Intubation : Pose d'une sonde dans la trachée au début de l'anesthésie pour assurer la ventilation des poumons pendant l'opération.

Le jour de l'opération

Le matin de l'intervention, l'infirmière vous placera une perfusion avant votre transfert au bloc opératoire et vous recevrez une prémédication pour vous détendre et vous relaxer.

En salle d'opération, vous retrouverez l'anesthésiste qui procédera à l'anesthésie générale : injection d'**hypnotique, morphinique**, puis **intubation**.

Vous vous endormirez très rapidement, sans même vous en rendre compte.

Le réveil se fera dans une salle de surveillance où vous resterez pendant une heure ou deux, le temps de reprendre complètement conscience, d'être réchauffé et calmé si besoin. Vous sentirez très légèrement la cicatrice et la sonde vésicale qui a été introduite dans la verge. Les calmants puissants utilisés aujourd'hui permettent d'avoir un réveil dans un grand confort. Lorsque vous aurez récupéré tous vos réflexes, vous serez transféré dans votre chambre ou, selon les habitudes de l'établissement, dans une unité particulière de surveillance pendant 24 à 48 heures.

Le soir de l'intervention, vous aurez la possibilité de contrôler vous-même les douleurs que vous ressentirez : il vous suffira d'appuyer sur une petite poire mise à votre disposition pour qu'une dose de calmant passe immédiatement dans la perfusion.

Vous ne pourrez pas vous lever le jour de l'intervention mais dès le lendemain.

Des visites (peu nombreuses et de courte durée pour ne pas vous fatiguer) sont autorisées dès le soir de l'intervention.

Les jours qui suivent l'intervention

Le lendemain vous vous sentirez en bonne forme sans ressentir de douleur particulière en dehors d'une tension au niveau du bas ventre.

En effet, de l'avis quasi général des patients opérés, cette intervention est considérée comme très peu douloureuse et ne nécessite que de petites doses de calmant.

L'alimentation sera légère et le personnel soignant viendra vous aider à vous lever.

Au cours des jours suivants, vous irez de mieux en mieux. Le drain ressortant par la peau sera retiré dès qu'il ne donnera plus d'écoulement.

Le retrait de la sonde vésicale

La sonde vésicale sera retirée par l'infirmière dans un délai très variable après l'intervention, cela dépend des habitudes de chaque chirurgien. Certains retirent la sonde dès le troisième jour, d'autres préfèrent attendre huit à quinze jours. Ils peuvent alors laisser le patient repartir chez lui avec sa sonde pendant quelque temps.

Le jour du retrait de la sonde :

- Il ne faudra pas être surpris s'il existe des fuites d'urine importantes qui peuvent parfois être ressenties comme très déprimantes. En effet, le sphincter a souvent des difficultés à assurer ses fonctions dans les jours qui suivent le retrait de la sonde, et, à chaque mouvement, il peut y avoir un petit jet d'urine impossible à contrôler. Ce degré d'incontinence est extrêmement variable selon les cas. **Même si vous avez des fuites d'urine majeures, ne vous affolez pas, car cela ne préjuge en rien du résultat définitif. La continence s'améliore en règle générale considérablement dans les jours qui suivent.**

- Certains patients peuvent, au contraire, présenter un certain blocage pour uriner. Cette difficulté s'explique par un gonflement (« œdème ») passager au niveau de la suture entre l'urètre et la vessie, qui bloque le passage de l'urine. Il suffit alors de replacer la sonde pendant 24 ou 48 heures pour que tout s'arrange. Cet incident n'a qu'un seul inconvénient : retarder éventuellement de un ou deux jours la date de la sortie.

Si vous avez eu une préservation des nerfs érecteurs, il y aura, nous l'avons vu, pendant plusieurs mois une disparition des érections, qu'il s'agisse des érections réflexes qui surviennent souvent au cours du sommeil ou des érections déclenchées lors d'une stimulation sexuelle.

Pour éviter que la verge reste non fonctionnelle pendant de longs mois, ce qui pourrait altérer la souplesse des corps caverneux (ou érectiles), il faudra déclencher artificiellement les érections. Cela nécessite de faire des piqûres à la base de la verge. Elles sont très peu douloureuses car l'aiguille est très courte et ultra-fine. Le produit est injecté dans les corps caverneux qui vont se rigidifier en se remplissant de sang. On appelle ces piqûres « **injections intra-caverneuses** » **(IIC)**.

La technique d'injection est extrêmement simple et l'infirmière ou le chirurgien vous l'expliquera la veille de votre départ. En effet, c'est vous qui réaliserez ces injections à votre domicile, de la même façon qu'un diabétique fait tous les jours ses piqûres d'insuline sans avoir besoin de personne.

Le plus délicat au début est de doser le produit pour que l'érection ne dure pas trop longtemps, l'idéal étant de ne pas dépasser une demi-heure. Si c'est le cas, **il faut alors systématiquement diminuer la dose pour les injections ultérieures. Si l'érection se prolonge plus de 3 heures, il faut contacter votre urologue.**

L'érection (et non pas la piqûre) est parfois un peu douloureuse. Il ne s'agit pas d'une erreur d'injection, mais d'une sensibilité particulière de la verge au produit, il faut alors diminuer les doses et/ou espacer les injections. Parfois, la douleur est trop importante pour être tolérable ; dans ce cas, il faut arrêter toute injection pendant quinze jours

Érections réflexes : Érections apparaissant spontanément en dehors de toute stimulation sexuelle. Elles surviennent le plus souvent au cours du sommeil ou le matin au réveil.

Corps caverneux : Organes de l'érection, au nombre de deux.

à trois semaines et réessayer de nouveau. Si la douleur est identique après ce délai, il est préférable de stopper les injections.

En dehors de ces circonstances défavorables, il faut réaliser si possible une à deux piqûres par semaine pendant les trois premiers mois.

Le chirurgien vous reverra en consultation après ce délai et décidera du rythme des injections ultérieures.

D'autres moyens sont en cours d'évaluation et, notamment, l'introduction d'un gel dans l'urètre.

La sortie de l'hôpital ou de la clinique

La sortie de la clinique est en général autorisée 24 à 48 heures après le retrait de la sonde vésicale.

Les fils ou les agrafes seront retirés par votre médecin traitant ou par une infirmière vers le 10e jour.

Selon le cas, il pourra vous être prescrit à votre retour à domicile des séances de rééducation chez un kinésithérapeute que vous indiquera votre urologue.

La consultation post-opératoire se situe entre le premier et le troisième mois après l'intervention, avec un dosage de contrôle du PSA.

De votre convalescence à votre totale récupération

Au cours du premier mois, il faut éviter les efforts car la suture des muscles abdominaux n'est pas encore solide. Au-delà de cette période, vous pourrez reprendre une vie normale.

En fait, votre convalescence sera surtout marquée par la récupération de votre continence et de votre vie sexuelle tout en ayant la satisfaction d'avoir franchi une étape importante dans la guérison de votre cancer.

La continence

Rappelez-vous au préalable ce point très important : le sphincter peut être plus ou moins fragilisé **en fonction de l'anatomie de chacun.** Si au cours de votre opération, la section du sphincter a dû être réalisée quelques millimètres plus bas que prévu pour éviter une marge positive, vous pouvez mettre plus de temps pour récupérer votre continence. Ne comparez donc **jamais** votre situation à celle de l'un de vos amis qui a subi la même intervention.

Dans la majorité des cas, les fuites d'urine sont absentes ou modestes et disparaissent avec la rééducation en quelques semaines. Elles peuvent être importantes les deux premiers mois, mais, le plus souvent, elles ont presque disparu au 3ᵉ mois. Parfois, c'est beaucoup plus long et il faudra porter des protections pendant plusieurs mois. **Il ne faut jamais s'inquiéter de l'importance des fuites, ni de leur durée** : vous verrez que les progrès seront constants, certainement trop lents pour vous, mais c'est le temps nécessaire à votre sphincter pour récupérer.

N'imaginez surtout pas que vous resterez incontinent.

Lorsqu'une personne s'est fracturée le fémur et qu'elle porte encore une béquille quatre mois plus tard, cela ne veut pas dire qu'elle ne pourra plus jamais remarcher. Elle est simplement contrainte d'attendre patiemment la consolidation de l'os.

Pendant ces mois toujours très pénibles restez très confiant et surtout gardez un bon moral. Si vous êtes inquiet il faut demander à revoir soit votre chirurgien, soit votre kinésithérapeute : cela vous aidera beaucoup psychologiquement. Parfois il y a des petites erreurs de rééducation qui méritent d'être corrigées pour progresser plus vite. Nous les analysons à la fin de ce chapitre.

Les fuites d'urine surviennent toujours dans les mêmes circonstances :

▪ au tout début, cela peut vous sembler catastrophique : vous ne retenez rien et tout passe dans les protections. Cette situation est due au muscle sphinctérien qui est incapable de se contracter suffisamment pour éviter la moindre fuite. Il peut parfois rester plusieurs semaines presque inactif. Puis, petit à petit, vous arriverez à mieux percevoir son fonctionnement. Les progrès viendront alors graduellement. **On ne le redira jamais assez : soyez confiant, ne vous sentez surtout pas «diminué» par ces fuites incontrôlées. Vous êtes dans une période de récupération post-**

opératoire. De nombreuses autres interventions s'accompagnent parfois d'inconfort pendant plusieurs semaines ou plusieurs mois pour disparaître ensuite définitivement. Vous êtes simplement dans ce cas. C'est évidemment très inconfortable, mais… utiliser des béquilles six mois après une fracture du fémur ne l'est pas moins, c'est simplement beaucoup mieux accepté psychologiquement !

▌ lors d'un effort, lorsque par exemple vous vous levez ou vous vous baissez pour lacer votre chaussure, ou si vous faites un travail physique important (jardinage, soulever des poids lourds, etc.) ;

▌ après une marche prolongée ou en fin d'après-midi sous le coup de la fatigue. Ces fuites sont les plus longues à disparaître car elles témoignent de la faiblesse générale du sphincter ;

▌ enfin, dans certains cas, elles peuvent survenir secondairement : deux à trois semaines après l'intervention.

Ce n'est qu'**en l'absence de progrès pendant plusieurs mois** que l'incontinence peut être considérée comme définitive. En général, ces fuites nécessitent le port d'une ou deux garnitures par jour, très rarement plus. Elles surviennent bien sûr à l'effort et à la fatigue mais pratiquement jamais au repos. Si vous êtes dans ce cas, sachez qu'il existe une solution qui vous redonnera un confort de vie total : c'est l'implantation d'un sphincter artificiel. Cette intervention est simple et nécessite une hospitalisation courte de cinq à six jours.

Beaucoup de femmes ont bénéficié de cette technique. Certains accouchements difficiles peuvent en effet abîmer définitivement le sphincter.

Toutes ces femmes considèrent qu'elles mènent depuis leur opération une vie strictement normale. **Sachez donc que dans le pire des cas, il existe une solution qui rétablira votre confort.**

Votre urologue vous expliquera, si nécessaire, les détails techniques de cette opération.

Votre rééducation doit être rigoureuse tant que vous n'avez pas acquis une continence parfaite.

Miction : Action d'uriner.

Voici les grands principes de cette rééducation :

● **Il faut d'abord apprendre à contracter votre sphincter tout en relâchant vos muscles abdominaux :**
– **la contraction du sphincter est simple à réaliser :** c'est ce que vous faites lorsque vous voulez stopper votre jet d'urine au cours d'une miction. Faites-le plusieurs fois en urinant pour bien comprendre et intégrer le mouvement ;
– **pour relâcher vos muscles abdominaux pendant la contraction de votre sphincter :** il faut être capable d'inspirer et d'expirer lentement plusieurs fois tout en maintenant votre sphincter contracté pendant une dizaine de secondes.

Cet exercice doit être fait de nombreuses fois pour être bien intégré. C'est la base de toute votre rééducation.

● **Il faut systématiquement contracter votre sphincter avant chaque effort :**
Vous devez en effet acquérir le plus vite possible le réflexe qui ne vous quittera plus : bloquer votre sphincter une à deux secondes **avant** chaque effort. En pratique, ces efforts sont :

– **tous les changements de position :** vous lever de votre lit, vous asseoir, vous mettre debout, vous pencher en avant pour lacer vos chaussures, sortir de votre voiture ;

– **les efforts importants :** tousser, éternuer, monter des marches rapidement, travailler au jardin, etc.

Vous devez être capable d'éviter toutes les fuites occasionnées par ces mouvements à condition de « verrouiller » votre sphincter quelques secondes avant l'effort.

Pour y penser, il y a un moyen simple et très efficace : ne portez pas de protection lorsque vous êtes chez vous. Vous constaterez immédiatement la fuite et votre oubli de penser à la prévenir.

Cette contraction sphinctérienne volontaire est certainement astreignante au début mais très vite, elle deviendra un réflexe et vous n'y penserez plus.

En fait, lorsque votre sphincter aura acquis un tonus suffisant, cette contraction « préventive » réflexe n'aura plus d'intérêt si ce n'est pour les efforts violents exceptionnels : éternuement, toux, travaux de force…

Enfin, lorsque vous contractez votre muscle, ne renouvelez pas l'exercice tout de suite, laissez-le se reposer, au moins le double du temps de sa contraction.

La reprise de votre vie sexuelle

Si vous avez eu une préservation des nerfs érecteurs

▌ Au cours des trois premiers mois

Le rythme des injections intra-caverneuses est de une à deux par semaine.

Il n'est pas nécessaire d'avoir une rigidité importante, il suffit simplement de faire grossir la verge pour oxygéner les organes érectiles.

Si vous souhaitez avoir un rapport sexuel, il suffit d'adapter la dose pour que l'érection soit suffisamment rigide et prolongée.

Vers le troisième ou quatrième mois, vous constaterez l'apparition de la tumescence réflexe, c'est-à-dire le gonflement de la verge, sans rigidité. Cela se produit dans des circonstances variées : au cours de la douche, lorsque la vessie est pleine ou lorsque vous allez à la selle. **C'est le premier signe de la reprise du fonctionnement des nerfs**. Si cette tumescence est franche avec une verge qui double de volume, il sera alors possible d'arrêter les injections intra-caverneuses systématiques, pour n'y recourir que pour satisfaire un rapport sexuel.

Mais rappelez-vous que **cette tumescence est d'abord réflexe**. À ce stade les excitations sexuelles ne permettront pas, sauf exceptions, d'obtenir cette réponse : la verge restera molle sans allongement ni gonflement. Il faudra attendre plusieurs semaines après l'apparition de la tumescence réflexe pour constater les premières réactions de la verge à une stimulation érotique.

▌ Du quatrième mois au douzième mois
C'est la période la plus difficile psychologiquement car vous serez en pleine forme physiquement, et vous ressentirez tout naturellement le besoin de satisfaire vos désirs sexuels qui seront intacts. Or les stimulations, qui avant l'intervention déclenchaient une érection satisfaisante, n'auront plus le même effet et vous aurez peut-être l'impression d'avoir perdu votre virilité.

Balayez donc de votre esprit cette interprétation qui ne correspond en **aucun cas** à la réalité.

Votre virilité est intacte, elle doit simplement s'adapter à une situation temporaire où vous avez toutes les chances de gagner si vous restez toujours confiant.

Les nerfs érecteurs récupéreront très lentement du traumatisme opératoire. Les influx nerveux, qui sont en fait des courants électriques, ont été partiellement interrompus au niveau de la zone opérée. La cicatrisation des nerfs va permettre d'augmenter, petit à petit, l'intensité de ce courant, pour ensuite le laisser passer complètement… mais au bout de six à dix-huit mois.

Ainsi, pendant toute cette période, les stimulations sexuelles doivent être :
– **fréquentes :** plusieurs fois par semaine. Ne pas hésiter à augmenter un peu plus une tumescence réflexe constatée sous la douche ou dans d'autres circonstances ;
– **prolongées et sélectives :** plus le nerf sera stimulé durablement et intensément, meilleure sera la réponse. Il faut donc une participation active de votre partenaire.

Cela requiert une grande liberté d'expression et permettra peut-être aussi de mettre de côté quelques tabous qui peuvent être un frein à votre « rééducation » sexuelle. Chaque couple saura trouver les solutions qui lui sont propres.

Encore une fois, et on ne le dira jamais assez, restez confiant et ne soyez jamais déçu si le résultat vous apparaît médiocre. **Ce qui compte à ce stade n'est pas la qualité de l'érection mais la simple réponse à la stimulation sexuelle : tumescence ou minime rigidité.** Elle traduit la régénérescence des nerfs. **Votre partenaire aura bien sûr un rôle fondamental pour vous rassurer.**

Quand au neuvième mois après l'intervention, une excitation sexuelle permet à la verge de se

.

relever timidement du scrotum en dehors de toute injection intra-caverneuse, le résultat est *a priori* excellent, même si la pénétration est encore loin d'être possible.

Ne dites pas : « Docteur, ça ne marche toujours pas »…

La déception entretenue risque de créer un vrai blocage purement psychologique qui, lui, pourra être facteur d'échec à long terme.

Considérez chaque réponse, si minime soit elle, comme un vrai pas en avant. Soyez-en très satisfait. Votre sexualité progressera lentement avec le temps.

▌ **Du douzième mois au vingt-quatrième mois**
C'est donc plus d'un an après l'opération que votre sexualité va véritablement redevenir satisfaisante. Pendant cette période vous pourrez essayer d'autres médicaments qui facilitent l'érection. Ils peuvent, à cette phase, être efficaces et éviter la poursuite des injections. Votre chirurgien vous les proposera.

Lorsque la rigidité « naturelle » réapparaîtra, vous aurez le désir légitime de tenter un premier rapport sans aide médicamenteuse. En fait, il faut l'éviter car la pénétration à ce stade est toujours laborieuse et non concluante. Vous risquez de le vivre comme un échec et de développer ultérieurement un véritable blocage psychologique. Il ne faut tenter une pénétration sans aide médicamenteuse que lorsque la rigidité « naturelle », au cours d'une stimulation, est redevenue presque normale et que la durée de la rigidité dépasse 5 minutes. Il faut toujours avoir à l'esprit que **les échecs ne sont pas de votre fait mais dus à la récupération nerveuse.**

▌ **En conclusion**
Il faut être encouragé par tous les progrès qui témoignent d'une récupération : une rigidité

débutante quel que soit son délai d'apparition, et même si elle ne permet pas la pénétration, est excellente. Il faut en être très satisfait, elle va toujours évoluer avec le temps et vous obtiendrez ensuite l'érection qui vous donnera satisfaction. À condition que vous soyez **confiant** et **patient. Votre partenaire doit vous aider et vous encourager en dédramatisant la situation.**

Cette «convalescence» sexuelle sera contrôlée par votre chirurgien. Il vous verra tous les trimestres pour évaluer les résultats et vous conseiller sur ce qu'il faut faire.

Si vous n'avez pas eu de préservation des nerfs érecteurs

Rappelez-vous que l'orgasme persiste, il n'y a donc pas de modifications du plaisir sexuel. Cet orgasme se produira alors que la verge restera molle.

▌ Il est possible d'obtenir des érections en réalisant des injections intra-caverneuses. C'est la technique qui est décrite au chapitre précédent.

▌ Si vous acceptez mal ces injections intra-caverneuses, il est alors possible d'implanter dans la verge une prothèse. L'érection est artificielle, de très bonne qualité et de la durée que vous souhaitez. Il faut en parler à votre chirurgien qui vous expliquera dans le détail les différentes techniques possibles.

La surveillance après l'opération

Votre urologue vous reverra pour la visite post-opératoire dans les trois mois qui suivent l'opération.

Le taux de PSA sera alors indétectable, en général, en dessous de 0,1 ng/ml.

Vous aurez fait alors les 95 % les plus difficiles du parcours. Il vous restera peut-être encore quelques fuites intempestives qu'il vous faudra corriger en poursuivant votre rééducation, mais déjà la reprise de votre fonction sexuelle avec l'apparition de la tumescence vous réconfortera. Vous progresserez de plus en plus et oublierez vite cette période de turbulences.

À RETENIR

Votre dosage de PSA sera renouvelé tous les six mois pendant cinq ans et ensuite tous les ans. Il sera demandé pour chaque visite annuelle par votre chirurgien pendant au moins dix ans, ce qui représente le délai de surveillance habituel de tous les cancers.
Ce taux doit rester en dessous de 0,1 ng/ml (en sachant qu'il y a des variations d'un laboratoire à l'autre).

Parfois le taux de PSA peut remonter progressivement au cours de dosages successifs, ce qui évoque une récidive biologique de la maladie.

Elle peut survenir lorsque le cancer était très volumineux au départ. Il y avait alors très souvent un franchissement important de la capsule et des marges positives en plusieurs endroits.

Dans ce cas, des cellules cancéreuses sont restées au niveau de la zone opérée et ont repris secondairement une activité.

Le traitement complémentaire est très souvent la radiothérapie. Elle va compléter le geste chirurgical en détruisant ces quelques cellules qui restent.

Utilisée après l'intervention pour les cancers un peu plus agressifs, elle apporte le complément de traitement nécessaire à la guérison de la maladie.

POUR CONCLURE

Le cancer de prostate est le cancer le plus fréquent chez l'homme après 50 ans. Deux examens très simples permettent d'en faire le diagnostic à un stade très précoce : le toucher rectal et le dosage du PSA. L'opération chirurgicale représente actuellement le traitement de référence chez l'homme jeune. Les progrès considérables de la chirurgie réalisés au cours des dix dernières années permettent d'obtenir, lorsque le cancer est pris au stade débutant, les meilleures chances de guérison avec un risque minimal de séquelles.

La surveillance régulière est nécessaire. Elle est facile à réaliser : c'est le dosage du PSA et une consultation annuelle auprès de votre urologue.

Bloc-notes

Information sur le coût de la santé

Ce que vous aurez à régler

En France, la majorité de la population est affiliée à la Sécurité sociale.

Frais administratifs (hospitalisation, frais de salle d'opération)

▌ Vous aurez à régler 10,67 euros (70 F) par jour, que vous soyez opéré **à l'hôpital ou en clinique :** c'est ce que l'on appelle le «**forfait hospitalier**».

▌ Une personne sans droits ouverts auprès de la Sécurité sociale doit régler entre **762,25 euros et 1 219,59 euros** (5 000 et 8 000 F) par jour pour un séjour à l'hôpital dans un service de chirurgie.

Les honoraires des médecins

▌ **À l'hôpital,** vous pourrez être hospitalisé dans deux types de «secteurs» :

– **en secteur public :** vous n'avez rien à régler en dehors du «**forfait journalier**» (les 10,67 euros par jour) que tous les contrats de mutuelle (même les plus simples) remboursent ;

– **en secteur privé :** vous aurez des honoraires chirurgicaux à régler. Ces honoraires peuvent vous être remboursés si vous avez souscrit un contrat le prévoyant auprès d'une assurance mutuelle complémentaire.

▌**En clinique,** les honoraires chirurgicaux sont pris en charge par deux systèmes complémentaires (comme le secteur privé de l'hôpital) :

– **honoraires remboursés par la Sécurité sociale** : chaque opération est cotée en « KCC » par la commission de la nomenclature de la Sécurité sociale. Cette nomenclature n'a pratiquement pas varié depuis plus de 30 ans... Le montant du KCC est depuis de très nombreuses années fixé à 2,09 euros (13,70 F). La prostatectomie radicale est remboursée à 210 KCC, soit 210 x 2,09 = 438,9 euros (2 877 F). Dans ce montant sont inclus le financement des aides opératoires qui participent à l'intervention, les visites post-opératoires quotidiennes et les éventuelles consultations jusqu'au 21e jour post-opératoire. La convention, que la quasi totalité des médecins signe avec la Sécurité sociale, fait que vous n'aurez pas à régler cette somme car elle sera directement payée par la Caisse d'assurance maladie. C'est ce que l'on appelle le « **tiers payant** » ;

– **honoraires remboursés par les organismes d'assurance mutuelle :** le montant de ces honoraires, non pris en charge par la Sécurité sociale, vous sera précisé par votre chirurgien lors de la décision opératoire. **Ils seront remboursés en partie ou intégralement par votre assurance ou votre mutuelle en fonction du contrat que vous avez souscrit.**

▌Quand vous prenez une mutuelle, renseignez-vous sur le montant des remboursements et les délais de carence : posez bien toutes les questions avant de signer.

LA PROSTATECTOMIE RADICALE
EN 10 QUESTIONS

1 Comment peut-on dépister un cancer de prostate ?

Deux moyens sont à la disposition du médecin :
– l'examen de la prostate par un toucher rectal ;
– le dosage sanguin du PSA.
Ces deux examens doivent être réalisés à partir de 50 ans et jusqu'à 70-75 ans.

2 Lorsque l'on ne présente aucun symptôme de la maladie, faut-il être traité ?

Oui. Le traitement est nécessaire car l'absence de symptôme ne préjuge pas de la gravité de la maladie.

3 Chez un homme de 55 ans présentant un cancer de prostate au stade débutant, quel traitement faut-il proposer ?

L'opération chirurgicale appelée « prostatectomie radicale » est actuellement le traitement de référence du cancer prostatique de l'homme jeune.

4 En quoi consiste la prostatectomie radicale et quels sont ses risques de séquelles ?

La prostatectomie radicale est l'ablation complète de la prostate et des vésicules séminales. Elle modifie de façon conséquente l'anatomie et le fonctionnement des voies urinaires et génitales. Elle expose à deux risques de séquelles : l'incontinence urinaire, car le système sphinctérien est fragilisé, et l'impuissance sexuelle, car les nerfs responsables de l'érection peuvent être traumatisés. La suppression de l'éjaculation est définitive.

5 Est-il possible de conserver des rapports sexuels après l'opération ?

Les progrès de la technique chirurgicale permettent de conserver les nerfs de l'érection chez les hommes qui le désirent, à condition que le cancer soit pris au stade débutant.

6 Combien de temps durera l'hospitalisation ?

Elle dépend des habitudes de chaque chirurgien. Il faut compter en moyenne entre six et dix jours.

7 Des complications sont-elles possibles ?

Oui, comme dans tout acte chirurgical. Certaines sont spécifiques. Retenez que la prostatectomie radicale est devenue une intervention très sûre et que les complications sont rares, vous devez toutefois en être prévenu.

8 Combien de temps faut-il pour récupérer une continence normale ?

Dans la très grande majorité des cas, les fuites d'urine régressent en deux à trois mois ; mais rappelons que beaucoup de patients sont aussi continents d'emblée.

9 Comment se passe la reprise de la vie sexuelle après l'opération ?

La reprise de la fonction érectile est lente et progressive. En général, il faut savoir attendre entre douze et vingt-quatre mois pour que les rapports sexuels, sans aide médicamenteuse, soient satisfaisants.

10 Quelle surveillance faut-il avoir après l'opération ?

Elle est simple : un dosage du PSA tous les six mois et une consultation auprès de votre urologue tous les ans pendant dix ans.

Lexique

Adénome : Tumeur bénigne.

Cancer : Maladie maligne caractérisée par un développement anarchique des cellules.

Continence : Capacité à retenir ses urines entre deux mictions.

Corps caverneux : Organes de l'érection, au nombre de deux.

Curable : Se dit d'une maladie dont la guérison définitive peut être obtenue.

Déférent ou **canal déférent :** Canal qui transporte les spermatozoïdes des testicules jusqu'au canal éjaculateur.

Échographie : Technique utilisant l'émission d'ultrasons pour obtenir les images de l'organe examiné : la « sonde » échographique émet les ultrasons ; l'image obtenue s'affiche sur un écran.

Électrocoagulation : Coagulation d'un fragment de tissu à l'aide d'une électrode. Lorsqu'elle intéresse une artère ou une veine de petit calibre, elle permet alors d'arrêter le saignement.

Érection : Mécanisme qui permet à la verge de se remplir de sang. À l'état de repos, ou flaccidité, la verge est comme une éponge vide. Une excitation sexuelle va lui permettre de se remplir de sang et de devenir rigide.

Érections réflexes : Érections apparaissant spontanément en dehors de toute stimulation sexuelle. Elles surviennent le plus souvent au cours du sommeil ou le matin au réveil.

Ganglion : Organe de grosseur très variable (de quelques millimètres à plusieurs centimètres) où les cellules cancéreuses vont se développer avant de se propager dans le reste de l'organisme.

Hypnotiques : Produits pharmacologiques utilisés en anesthésie pour induire le sommeil.

Impériosités : Besoins pressants d'uriner.

Induration : Perte de souplesse d'un organe constatée lors de sa palpation. Il devient plus ou moins dur.

Intubation : Pose d'une sonde dans la trachée au début de l'anesthésie pour assurer la ventilation des poumons pendant l'opération.

IRM (Imagerie par Résonance Magnétique) : Examen permettant d'avoir des images précises de plusieurs régions du corps, en utilisant les ondes magnétiques. Pour l'étude de la prostate, on peut utiliser une sonde qui est introduite dans le rectum.

Miction : Action d'uriner.

Morphiniques : Produits pharmaceutiques utilisés pour supprimer la douleur.

Nerfs de l'érection ou **nerfs érecteurs** ou **nerfs caverneux :** Nerfs véhiculant la commande de l'érection des centres nerveux vers les corps caverneux.

Nodule : Modification très limitée de la consistance d'un organe, constatée au cours d'un examen. Il s'agit souvent d'une petite bosse plus ou moins dure.

Pronostic : Ensemble de paramètres permettant de préciser quelle sera l'évolution d'une maladie.

Prostatite aiguë : Infection aiguë de la prostate.

Radiothérapie : Traitement du cancer à l'aide d'un appareil émettant des rayons. Les radiations agissent en détruisant les mécanismes qui permettent à une cellule de se développer.

Récidive biologique : Nouvelle élévation du PSA après prostatectomie radicale. Elle doit être constatée à deux dosages successifs à six mois d'intervalle. Elle témoigne d'une reprise microscopique du cancer.

Scanner : Examen permettant d'avoir des images précises des différentes parties du corps en utilisant les rayons X.

Scintigraphie osseuse : Examen permettant de montrer des images du squelette osseux. Cette technique utilise des produits faiblement radioactifs qui, une fois injectés, se fixent sur les os.

Score de Gleason : Étude microscopique des cellules cancéreuses permettant de préciser l'agressivité du cancer. Ce score varie de 2 à 10 : 2 correspondant à une tumeur faiblement agressive, 10 à une agressivité élevée.

Sperme : Liquide blanchâtre émis lors de l'éjaculation. Le sperme est constitué du liquide séminal, des sécrétions prostatiques et des spermatozoïdes.

Sphinctérien : Qui appartient au sphincter.

Sphincter urinaire : Muscle dont la contraction empêche l'écoulement de l'urine.

Trocart : Tube de diamètre variable muni d'une extrémité pointue amovible. Introduit à travers la paroi de l'abdomen il permet le passage des instruments ou de la caméra en cœlioscopie.

Tumescence : Augmentation de longueur et de diamètre de la verge, étape précédant la rigidité.

Urètre : Canal reliant la vessie à l'extrémité de la verge. Il permet l'évacuation des urines et le passage du sperme lors de l'éjaculation.

Urètre sphinctérien : Portion de l'urètre où se situe le sphincter.

Vésical : Qui se rapporte à la vessie.

Vésicule séminale : Glande sexuelle dans laquelle s'accumule le liquide séminal.

400928- (II)- (2)-CSB-G115°-PRIMART

Mise en page réalisée par PRIMART
11 rue de Bellefond - 75009 Paris
Tél. 01 53 32 85 30 - Fax 01 42 80 63 19

Elsevier Masson S.A.S
62,rue C.Desmoulins
92442 Issy Les Moulineaux Cedex

Imprimé en France
par l'Imprimerie Moderne de l'Est
25110 Baume-les-Dames